책장 사이에 귀뚜라미가 산다

책장 사이에 귀뚜라미가 산다

김황흠 시집

문학들

첫 시집 『솟눈』에서는 드들강을 첫사랑처럼 바라보며 서툰 말을 걸기 시작했다.

차츰 연둣빛 시간이 강 따라 흐르자 한결 친숙해진 쇠백로와 함께 침묵의 강을 건넜다. 그 기록이 두 번째 시집 『건너가는 시간』이다.

그리고 이제, 강과 나무와 풀과 쇠백로와 개구리와 귀뚜라미와 여치와 한통속으로 어울려 논다. 거기에 당신도 함께 숨 쉬고 있다.

2021년 가을

김황흠

차례

제1부

책장 사이에 귀뚜라미가 산다

벽과 책장 사이에서 열심히 소리를 짓는 것 같은데 형광등을 켜자 뚝 그친다 스위치를 내리고 다시 잠을 부르자 먼저 달려오는 소리 내 귀에다 붓는 애절한 노래 엷은 날개로 간절하게 책장 귀퉁이를 매만지는 가을밤

무심에 파르라니 떠는 페이지를
어디에 숨어서 읽고 있나

귀가 운다

일하다 무릎을 다쳐 누웠는데
지구의 공전 소리가 들리는 것 같다

낯선 별들이 떠 있는 우주 한가운데
들깨 알처럼 작은 내가
떠 있는 것 같다

14

맨드라미 수탉

암탉은 보이지 않고
늠름한 놈이 머리를 탁 쳐들고
꼬꼬댁 꼬꼬 꼬꼬댁 꼬꼬

굵은 발톱이 얼마나 날카로운지
발목을 재빠르게 잡아보지만
앙다물고 버틴다

이마를 쪼아 버릴 듯 벼슬을 흔들어대서
가슴이 콩닥콩닥거린다

아이고 조심하시오
옆집 아짐 걱정에도 장인은
심약한 사위 기운 북돋아 주려면
이 정도는 되야제 한다

잡아채고 보니 벼슬에서
까만 씨가 툭툭 떨어진다

막걸리 양 씨의 못밥

머리에 이고 온 새참 대야 내려놓고
써레질 중인 향꾼을 부른다
정자나무 그늘에 놓인 대야 둘레
한 자리씩 앉아
뜨거운 김 보송보송 피우는 고봉 한 그릇

아짐, 근디 막걸리는 없당가
오기 전부터 사 와라 혔드만 감감무소식이네

그제야 길 모롱이 자전거에 막걸리 담은
한 말짜리 탁배기 통을 싣고
비틀비틀 오고 있는 양 씨
술기가 확 번져 온다

벌써 취해 불면 어쩐다요
주조장에 갔는디 목이 메론께
거그 한 되짜리 주전자 꼭지를 입에 대고
홀짝홀짝 마셔 버렸당께

암만, 땡볕에 팥죽 땀 흘림시롱 마시는 막걸리가 최고제
이만한 못밥 있당가
다들 한 잔씩 돌리더라고잉

이름 대신
막걸리 양 씨로 불리던 사람

노을에 젖은 거기서도
다시 또 막걸리 타령인갑다

핑계를 댔다

물둑 섬 가에 쇠백로 왜가리가 줄지어 섰다
그중 큰 쇠백로 한 마리 머리를 꼿꼿하게 세우고
좌우를 둘러보는 위풍당당한 모습
다른 쇠백로들 고개를 넙죽 숙이고 있어
왈패들 같다

보다가 웃음이 나올 뻔했지만
나를 보는
예리한 눈빛에 그만 뚝!
그쳤다
날마다 강변을 돌아다니는 내게
뭔 일 있냐고 묻는 것 같고

뜨거운 술로 가슴에 불을 지르던
사슴 같은 맑은 눈을 지닌 사람
밤하늘 모퉁이에 제 자리를 만들었냐고
뜬금없이,
꾀복쟁이 친구들 잘 있냐고

묻는 것만 같다

더 있으면
쇠백로의 물음표가 더 굽어질 것만 같아
대답을 하지 못하고 물가를 떠났다

사실은 오래오래 보고 싶어서라고
말하지 못했다

강물 위에 쓴 시[*]

둥글둥글 돌멩이
주워 귀에 댄다

돌멩이 속에 갇혀 있던 이야기들이
간지럽게
간지럽게

귓속으로 흘러든다

귀에 댄 돌멩이를
강에 던지자
남아 있던 이야기 번지는 듯
물 나이테 퍼져 간다

그, 찰나

개구리 꽥, 소리 지르고
풍덩 물속으로 뛴다

에구. 미안!

서슬에 놀란 쇠백로
날아가며 허공에 뿌린 소리

물 위에 시 한 편 지나간다

* 남평 드들강 가에 있는 카페 이름.

모순矛盾을 마주하다

어떤 칼갈이도
살아 있는 칼을 만들지는 못한다

장맛비에 쑥쑥 자란 풀
시퍼런 독을 품고
빗방울로 날마다 갈고 씻더니
더욱 독이 찼다

풀날이 장갑을 베고 들어와
살까지 벴다

쓰라린 상처를 한 손으로 주무르고 있자니

어디서 오르락내리락
지그재그 날아온 딱새

날 선 줄기에 앉아 태연하게
푸르른 날을 밟고 있다

비를 부른 건 새가 아니다

방죽에 홀로 있는 왜가리가 꼿꼿하게 강을 바라보며
바람이 지나가는 길을 읽는다
파란 하늘에 하얀 구름은
빠르게 써 내려간 필기체 깃털이다
어느 새가 흘려 놓은
챙기지 못한 분신일까
햇살은 사이사이에서 맹렬하게 쏟아지고
달콤하게 부풀어진 솜사탕 구름은
보송보송하게 풀려
바람의 행로를 따라 간다
산 능선에 강은 물살 소리를 새겨 놓는데
구름이 물기를 머금었다
더위에 갈증이 난 물을 듬뿍 마신 구름이
무겁게 산등성이에 내려앉는다
그때까지 움직이지 않고 한참 바라보던 새는 마침내
날개를 펴들어 마침표를 찍는다

비 올라!

소나기 한 편

　어둠이 얽혀 드는 꼭두새벽 쏴, 쏴 시원하게 쏟아진다
신나게 내리느라 여기저기 작은 물길을 만들고 나갈 길을
찾아가는데 수챗구멍이 막혀 방방하게 차오른다 허겁지
겁 달려가 수채를 빼 주자 탁 터진 구멍으로 빨려 들어간
다 환성을 지우면서

　개밥바라기가 현관 모서리에서 깜박깜박 조는데

쐐기 스님

하우스 풋고추 끝물이 담긴 포대를 가져와
검정 망 자루에 털어놓으니
청양고추가 와르르 쏟아진다

매운 내도 함께 쏟아져 나오는 고추를
침침한 불빛 아래서 골라내는데
푸른 벌레 한 마리 꿈틀거린다

오매, 저 독한 거 봐라
매운 내에 꿈쩍도 하지 않고 살만 통통 쪘네

캄캄한 포대 속으로 잠행하여 보낸 시간

이왕 어두운 거
매운 거기가
동안거에 들기 딱 좋은 곳이라 생각했을까

햇살 망치질

햇살 자글거리는 한낮,
널린 고추에선
따앙땅
잔망치 소리 울린다

한참 두들기는 동안
붉게 매운 냄새가 난다

햇살 못 박히는 소리

마당을 넘어
골목길까지 번진다

먼 강 물살도 몸을 뒤챈다

햇살 못은 간지러워!
찰랑찰랑 비린내를 풍긴다

누가 또 망치질했는지
불그스름한 노을 이마에도
자잘한 못 자국이 반짝반짝 빛난다

호랑지빠귀

어두워질 무렵이면
난데없는 통곡 소리

뜨거운 한여름에 달달 볶인다고

히히히

귀신 씻나락 까먹는 소리

처음 들었을 땐 얼마나 놀랐는지
저녁 무렵 동네 밖 나가기 겁났다

대낮을 놔두고 꼭 집에 들어갈 시간만 골라
발걸음 빠르게 하는
청승맞은 새

어이 어이

부르는 오늘도
여지없이 울지만
강심장 된 지 오래다

붉덩물의 사랑법

쿵! 쿵!
하늘은 한바탕 전쟁 중
구름이 뒤엉켜 불을 번득인다

번개에 꽂혀
나무가 부러지고
동네 복판 전봇대 전기가 끊어진다

개는 무서워 구석에서 비명을 지른다
뒤란 창고 고양이 울음 들린다

직박구리 박새 오목눈이 참새
다 어디로 갔을까

어두운 눈빛으로 바라보는 동안
굵은 빗방울이 쏟아지고
황토물이 뒤엉켜 흘러간다

그 누구도 울어 주지 않는 눈물
다 그러안고 그렁대는 붉덩물

막걸리 통 한가위 달

술이 둘째라면 세상 서럽다고 하던 나주아짐
조그마한 키에 굵은 주름이 훈장인
둥그스름한 얼굴이 붉어지면
집 마당서 달 보고 고래고래 소리쳤다

동네 아짐들
저 여편네가 또 지랄한다고 하면서도
먼저 간 양반이 그리워 그런다고 혀를 차고는 했다

이앙기가 못다 심은 모 사이를 때우고
피사리하고
나락을 베고 나면 짚가리 훑어 이삭 줍고
집터에 심은 검정콩 메주콩 타작만큼이나
술 좋아하더니

지난해부터 추석이면
달무리 두레방석에 앉아
두 내외 말술을 나누고 있다

바닥을 마주친다는 것

길바닥과 발바닥이
서로 사정없이 치고
미련 없이 뗀다

연거푸 치고 떼며
더 끈덕지게 달라붙는다

치고받는 바닥
끝까지 마주치는 일은 죽어서야 끝나는 일

날마다 부대끼며 살아도 막상 보면
허깨비 보듯 살아온 것 같아

돌아보면 마주치고 온
길바닥이 텅 비었다

누구를 바라보는 여물진 마음 가져 보진 못한
내 발도 가는 길도
저마다 바닥이 있다

신발 자국은 떠난 발을 품고 있다

동네 빈집 정리로 헐린 마당
콘크리트에 발자국이 찍혔다

콘크리트로 깐 바닥에 찍힌 태양표 고무신
밤중 뒷간 가다 남긴
신발 자국

공룡 발자국을 본 것처럼
이 집 내력을 들여다본다

굳어 버린 자기 발자국에
싱긋 웃었을 사내

아직도 내 집이네 하고

빈터엔 수시로 잡풀이 채워져도
박힌 신발 자국은 떠난 발을 품고 있다

깨진 길을 보면

닳아지고 금이 간 길
자전거가 덜커덩거린다

뭔 말에 심장이 쿵쿵한 것같이
별스럽게 뒤통수를 치대는
튀어나온 철사가 으름장 놓는다

내리막길로 굴러간 깨진 돌은
거기까지 달려간 울음

아프면 우는데 길은 울 수 없으니
튀어서라도 알려 주고 싶었을까

트럭이 지나다닐 때마다
걱정으로 번지는 길

자전거가 덜커덩거리고서야
아픈 널 본다

차마 돌아섰다

제방 가 전봇대 지지선을
오늘도 하루가 멀다 하고 더듬어 오르더니
지지선을 둘둘 말아 간다

여러 줄기가 뭉친 푸른 팔뚝
힘줄 하나는 참 오져서
한여름 땡볕도 아랑곳하지 않는다

끈질기게 비비 꼬꼬 올라가며
꿀 같은 시간이라고
연보라 꽃을 피웠다

연일 풀 베느라 잔뜩 독 오른 나는
한 번 낫으로 쳐 버리면
끝날 힘줄을 향해

한마디 툭 내뱉고 돌아섰다

36

비워 두어야 할 곳이 있는 것이야!

제2부

환하다

1.
다동댁 빈집
오랜만에 백열등이 환하다

무슨 일인가 싶어 들여다보는데
그동안 병원에 있던 아짐이
마루에 우두커니 앉아 있다

검버섯 잔뜩 핀 얼굴
지친 눈빛으로 마당 한쪽 화단을 본다

2.
수국과 장미는 예전처럼
밤새 내린 비에 수굿하다

꺼지지 않은 불빛
낮에도 켜져 있다

다동댁이 끄지 않고 간

마지막 인사

댓돌에 놓인 흰 고무신을 마냥 비춘다

이팝의 저물녘

고봉밥 사발을 엎어 놓았다

먹겠다는 사람은 없고
눈 씻고 쳐다보아도 있는 그대로
후두둑 저물었다

속을 채울 수 없어
보는 것으로 서럽던 밥

일어나 가려니 흘린 밥알이
밥을 떠 주듯 그늘에 쌓인다

논에 물을 넣다가
한 상 가득 차린 나무를 보면

더는 칠 수 없는 바닥

공원 비둘기 몇 마리
꽃잎을 쫀다

동백 피다

꽃봉오리
쩍!
갈라지는 사이로
붉다
흰 추위에

막 뭐라 뭐라 툭 쏘며
와장창 밀고 나올 것 같은

손발을
다 놓은 아침

동냥치풀

마른 풀을 잠깐 스쳤을 뿐인데
바지춤에 다닥다닥 붙는다

껌같이 달라붙어 떨어지지 않는
생긴 건 영락없이 도깨비 화상

너구리 삵 고양이에 들러붙어
생떼 쓰는 상거지

먹고 사는 일에 염치코치 따질 필요가 있냐고
아무 집 문간에서 밥 얻어먹던

쭈그려 앉아 하나둘 뽑지만
아쉬운 게 남았는지

바지춤에 몇 개 박혀 한 푼 주시오
조잘조잘 생떼 쓴다

엿보다

부지깽이도 바쁘다는 농번기
어둑새벽 무논에 나온 영산댁

늦둥이 딸년 업고 물꼬를 돌아보다가
아이가 울어 논둑에 퍼질러 앉는다

급하게 젖통을 까대고
부풀어 붉은 꼭지를 물리는데

그 소리에 깜짝 놀라 뛰어든 개구리

이른 아침부터 와글와글 울어싼다

빈집

알콩달콩 깍 깍 깍 대던 까치 가족들
떠난 텅 빈 둥지
아까시나무에 얹혀 있다

누가 봐주지 않은 둥지는 삭아
심술궂은 바람에 무너져 내린다

떠난 가족은 오지 않고
한 번 떠나면 바람조차 깃들지 않는
구들이 식은 집

벽이 허물어져
흙이 되려 한다

부서진 나무 기둥이
드러누워 거름이 되려 한다

마당 깊은 집*

산비둘기 풀쩍 내려앉더니
두리번거린다

평상에 앉아 카메라 만지작거리는 내 앞에선
잽싸게 지나가지만
그늘에 누워 혀를 내미는 개를 보고도
보무가 당당하다

묶여 있는 게 별거냐 싶었는지 밥그릇으로 가
개밥 사료를 쪼며

어이구, 저게 집 지키는 개냐

밥그릇은 통통통 소리를 가득 피워 내지만
요란한 소리도 귀찮은지
돌아누워 쿨쿨 코를 곤다

산그늘 내려오는 마당이 점점 깊어 간다

누비옷

폐가를 치운 자리
금실 박은 옷이 서리에 하얗다

오래전 양철 문 삐뚜름히 열어
밖을 내다보던 노인
부은 눈이 떠올랐다

분홍색 금실 박은 두툼한 옷
집이 치워진 마지막까지
문간에 걸려 있었다

터진 옷 솔기가 바람에 헤적인다
아이고매야, 아직껏 안 가셨는가
어서 가시오, 할무니!

몸이 빠져나간 텅 빈 옷을
먼 친척 조카며느리가
태우다 만 불구덩이에 넣었다

터

동네 한 귀퉁이로 난 산길을 가다 보면
대나무가 작으막한 산을 에워 두른다

쌓인 대 이파리를 들추다가
깨진 그릇이 잡히기도 해서

한때 사람이 살았다고
더러는 곡성도 들려오고

마실 다녀오는 밤이면
오금 저리던 대밭

빈속에 울음을 채웠을까
속울음을 토렴하지 않은 나무들

완강하게 버티고 버티다가
무너미로 넘어가던 휜 줄기

해 질 무렵이면 참새 박새 깃을 품는다

엽채는 빗방울을 좋아해

빗방울이 떨어진다

부산하게 움직이는 사람들
그 틈에 끼어 손우산 쓰고 가다가 멈춘다

좌판을 벌여 놓고 어디 갔는지
아까 본 할머니는 보이지 않고

쪽파 대파 시금치 얼갈이 상추
볕 좋은 날 밭에서 캐어 온
쑥이며 달래며 취나물이
촐랑촐랑 비를 맞고 있다

비 맞으면 좋제

해종일 땡볕에 시든 푸성귀
성근 빗방울이 맺혀
볼기에 살이 짝짝 오르것다

외등

저녁이 되어도 집들은
불이 켜지지 않은 지 오래

길을 밝히고
발소리를 기다려 보지만
앉지도 못하고
꼬박 새우는 날이 많다

바람이 심심찮게 불빛 아래서 휘청거리지만
불러도 돌아오는 건
깜박깜박 부르튼 목청

불면으로 지새고서
지친 제 몸부터 꺼 버리는
차가운 집

떠도는 둥지

담벼락 아래 풀이 무성하다
벼린 풀날이다

햇살이 찾아들고
바람이 지나가는 동안

묵은 흙덩이를 물고 있는 호미
돌과 함께 나뒹구는 깨진 장독
흙벽에 기대어 삭아 가는 삽자루

사라져 가는 주인의 온기를
기억하는 건 상처뿐인가

언덕 위
아까시나무 가지에 얹어진
까치집 몇 개

바람 소리

새소리

풀벌레 소리만

등 대일 곳 없는 집을 쓰다듬는다

소식을 물고 왔다

어둑새벽인데 뒤란은
노안떡!
다동떡!
해룡떡!
지동떡!
참새 직박구리 박새
한참 시끄럽다

동네 낮은 산등성이
떼 지어 날아가는 물까치도 보태져
장터처럼 환한 동네

검은등뻐꾸기도 어울려
술렁거린다

뻐꾸기 꾀꼬리 오목눈이 멧비둘기까지
부지런히 물고 오는 소식이 반가워

눈인사한다는 것이
그만
딱 걸려

통성명도 못 하고 보냈다

화톳불

공터에서 품앗이 나가는 아짐들
봉고차 기다리는 동안
불을 피워 놓고 손을 쬔다

활활 타오르던 불길
타닥타닥
섬광을 피우는 불꽃

하나하나가 다른 모습으로
타오르다가 꺼져 갈 때

마른 잔가지인 양
호미질로 단련된 손
삭정이 넣어 살리는 화톳불

오늘도 등 따습게 살자고
남은 불길에 슬쩍 손 쬐는
내 하루도 빨갛다

길, 턱에 걸렸다

노래지거나 붉어져
잔바람에도 힘없이 떨어진 이파리

제 몸 뒤집어 보며
한 번쯤 돌아보았을까

맴돌다 노숙자처럼 불콰하게 취해 바닥에 눕더니
사람들 지날 때마다
길가로 밀려간다

환경미화원 빗질에 쓸려 가는 건
아주 잠깐

남은 잎을 마저 내려놓은
텅 빈 가지

그림자마저 털썩!

숨바꼭질

꼭꼭 숨어라
저기 너울거리는 이파리

꼭꼭 숨으라니까

바랭이 벗풀 가시나물
속에 숨어서

여치 귀뚜라미가 와도
숨 딱 멈춰라

발소리 커진다

바랭이 벗풀 가시나물
쓱쓱 베자 시금치가 나온다

무쇠솥과의 대화 방식에 대해

팥죽을 끓이고
통닭을 삶고
콩을 삶아 메주도 만들고
사골을 삶아 곰국을 만들고
장을 조려 내기도 하고
김장 때는 젓갈국과 다시마물을 끓였다

그럴 때마다 화덕 앞에 쭈그려 앉아
고구마 감자도 구워 먹고
솥뚜껑에 삼겹살을 얹어 놓고
소주 한 잔 마시기도 했다

오늘은 한 사람이
잘린 나무처럼 쓰러진 날

장작 밑불이 화끈 달아오르는 동안

맵기는 내 눈이 매운데
가마솥이 먼저 울었다

눈춤

바람이 넣은 추임새 따라 억새가
사뿐사뿐 춤춘다

가느다란 종아리
발레리나 같다

흥겨운 갈잎 장단에 덩실덩실
몸 흔드는 대나무도 신났다

황새목처럼 가지를 뻗대는 소나무랑
넓적한 엉덩이 들썩이는 오동잎에
소주병의 휘파람까지

구름의 무명옷도
찢어질 듯 펄럭인다

한바탕 벌어지는 춤판
쏠렸다 몰려온다

구절초 흰 꽃
벙글거리는 날

그중에 제일 바쁜 건
소리 없는 눈춤이다

제3부

사연이 있다

바람에 하우스 뒷문이
쿵 쿵 쿵
문턱 파이프를 때린다

몹시 아프겠다
넌 한참 맞아야 해

아무것도 아닌데
이게 싸울 일이냐

사납게 부닥쳤는지
치댄 파이프가 뜨끔뜨끔
문짝 턱도 얼얼

버드나무는
누구한테 맞았는지 가지마다
푸른 멍이다

망치의 기술

태풍에 쓰러진 지지대를 빼려 하니
한번 들어간 말뚝 같은 몽니는
도통 풀어지지 않고 뽑기 힙은 휘어졌다
힘도 공구도
지쳐 밭둑에 앉아 있는데
등 뒤에 박새 몇 마리
뭐 먹을 게 있다고
쌓아 둔 고춧대를 진력나게 뒤진다
벌써 짧은 겨울 해가 산등성이에서 기웃거려도
몇 안 남은 지지대는 끔쩍 않는다
큼직한 돌망치로 몇 번 쥐어박아 보는데
되려 물큰한 사랑 한번 해 봤다고
아랫도리가 끈적끈적하다

다 아신다

이른 아침부터 따가운 볕이
슬금슬금 기어 나온다

정식한 실파 사이사이 잡풀
뿌리 깊이 박혀 뽑히지 않은 게으름 같아
억세게 당겨 보는데
줄기만 툭 끊어진다

아야,

다 큰 것을 그렇게 뽑으면 된다냐
어릴 때 뽑아야제

뒷짐 지고 계셔도
어머니는 다 아신다

장대

뒤란 흙벽에 야무지게 결속된 대나무
호미 쇠스랑 곡괭이 갈퀴 괭이
마늘과 말린 시래기며 나물을 달아맸다

살아서는 제 속에 울음 켜켜이 쌓아
곡성도 내보고
부엉이 울음과 달빛에 소슬히 젖었을 푸른 생애가

버팀목 되느라
누리끼리 늙었다

묘화 猫畵

낯설고 앳된 고양이 두 마리
평상 밑에 숨어 슬금슬금 눈치를 본다

비쩍 마른 앙상한 모양새
울 힘이라도 있을까 싶었는데

인기척 쪼며 야무지게 운다

어머니가 찬밥에
생선국과 고기를 말아 주자

허겁지겁 먹느라 눈치까지 삼킨다

멀리서 바라보는 어미 눈빛에 가시가 남았다

너무 멀리 와 버렸다

쇠백로가 외마디 소리를 지르고
허공을 한 바퀴 돈다

가까이할 수 없는 새를 바라보는데
마스크 쓴 여자가 급하게 걷는다

아는 얼굴인데
고개 돌려 뒤통수만 보여 준다

아차, 마스크를 안 썼구나

꺼내 쓰고 가는 내 뒷모습을
누가 보고 있을까

길을 가다가 만나도
나누던 묵례도 같이할 수 없는 날

두물머리에서 탁 트인 강물을 보고

숨 한 번 크게 내쉬지만

너무 멀리 와 버렸다
돌아갈 길은 아득하다

위급

가문 밭 오랜만에 비가 내려
기분 좋아 흐뭇해하는데
고추밭 고랑 물이 불어난다

이슬비도 오래 맞으면 젖는데
이런, 빠져나갈 물꼬가 없다

서둘러 삽으로 밭 뒤를 개울가로 터보고
앞길 쪽으로 터 보지만
다져진 길에 막힌다

천방지축 차오르는 물
앞과 뒤가 막혀 허둥거리다 본다

물길 차오른 자리
흙 속에 묻힌 오래된 배관

찌그러진 목구멍에서 뽀글뽀글

산소 호흡기 소리 들린다

되돌린 날개

솔개 한 마리
매서운 찬바람에
날개를 퍼덕거려도 나아가지 못한다

그래, 네가 이기나 내가 이기나
어디 한번 해 보자고
동네 사람들 욕지거리에 맞대며
악다구니로 고래고래 소리 지르던
영산댁 같다

한 방에 휙 날려 버릴 듯 부는
강풍에 맞서며 휘어진 어깨

다른 새들은 마른 풀숲과 대숲에 숨어 조용하다

바라보는 어두운 얼굴들
좀 누가 말리기라도 하지 하면서도
누구 하나 나서지 못하고 머뭇거린다

물살에 맞선 돌멩이가
더는 버티지 못하고 뒤집히듯
별수 없이 되돌린 날개

돌아가도

상처 난 마음 부릴 데 없는 허공의 집이리라

뒤란 매화만
꽃을 피우려다 움찔거린다

절정

봄 방죽에 개구리 울음소리
자글자글 끓어오른다

시끄러워!
돌멩이 하나 냅다 집어 던지자

찬물 끼얹었을 때처럼
잠시 잦아지다가

다시 꽈락꽈락
넘칠 듯 거품처럼
울음보를 부풀린다

버럭 소리쳐 보지만
달아올라 멈추지 않는다

사랑이 끓는다
달빛에 물든 사랑가

함부로 훼방 놓을 일 아니다

민들레

밭일하다가 쉴 참에
둑에 풀썩 주저앉는데
뭔가 엉덩이를 툭 친다

이봐요
암 디나 궁둥이 들이밀지 마세요

가만히 보니 벙글벙글
노란 민들레 가족

하나, 둘, 셋, 넷, 다섯 식구
오글오글 모여 해바라기 중이다

잔소리 듣는 아침

전선에 앉아 빗방울 터는 뻐꾸기 후두두둑

부리로 흐트러진 몸을 가다듬다가
바라보는 내 눈빛에 뜨악했는지
등 돌리고는 투덜투덜

한 발로 날개깃을 훑다가
머리를 흔들다가
곤두선 털을 다시 쓰다듬는다
너는 뭐
너는 뭐

묻는 듯
고개를 이리저리 흔들면서 씨알씨알

어디서 뭣하고 돌아다녔길래
헙수룩하게 앉아 그렇게 쳐다보는 것이냐고
훅꾹또훅꾹

연리목

삼백 년 묵은 팽나무 둥치
가만히 보니 세 갈래

둘이 살아도 티격태격하고
마음 틀어지면 등 돌려 갈라서는데
셋이서 꼭 부둥켜안은 한 몸

흘러가는
강 언저리

디들디들* 부르는
애간장 탄
이야기를 듣는다

* 남평 드들강 전설에 등장하는 디들 처녀 전설.

곁

마른 억새나 나나 꺾어진 팔자라고
오고 가는 오목눈이 주절주절

쟤들이 지금 누구 놀리나

앙상한 버드나무 가지를 맴도는 손돌이바람
물살이 반짝거리다가
불그스름 물들 무렵

어구, 춥네! 시린 손 비비적대며
따뜻한 쪽으로 기댄
물질하던 오리들

뜨근한 체온을 나누는 밤

유령으로 살기

농로 귀퉁이 억새 풀더미가 에워싼 경운기
있는지도 모른다

한때 귀한 몸이 트럭에 밀리고부터
고물로 변한 자존심은 이미 녹슬었다

환삼덩굴이 옭아매고
메꽃이 옭아매도
이젠 괜찮아, 괜찮아

풀 속에 누워 듣는 장송곡
노랗게 풍화한 가을

어느 순간 너에게 잊힌 얼굴
까마득한 망각에 내가 산다

모래섬

큰물 나면 떠밀려 온 흙과 모래가 쌓여
조금씩 몸을 키운 곳
거기도 버드나무와 억새가 자란다

쇠백로 왜가리 청둥오리 논병아리 물닭이
한겨울 기거하기 좋은 자리

수달이 살기 좋은 그곳
삐익! 삐익! 붉은머리오목눈이

만지면 부러질 것 같은
고사목 가지에 앉아
저도 식구란다

바라보는 나도
거기 주민이라고

푸른 반란

여름은 반란하기 좋은 계절

깻대를 둘둘 말아
밭을 초토화한 메꽃
떠올리자니 오금이 저리다

무작정 쳐들어가는 돌격
힘 한번 못 쓰고 당하는 강변 공원

단풍나무 배롱나무 물푸레나무 버드나무
차례차례 칡넝쿨에
설마, 설마!

뱁새가 여름 내내 승전 소식을 지저귄다

봄이 붐비다

코로나바이러스로 비상 시절
카메라 들고 강변으로 나간다

추위다운 추위도 없이
겨울은 물러가고 꼼짝하지 않고 지내던 것들
수선을 피운다

봄까치 광대나물 매발톱 매화 산수유 수선화

이름 하나하나 불러 보면
견디는 일이 호락호락하지 않다고
찌르륵 마스크 쓴 콧등을 찌른다

비 오는 밤에 마중을 받다

부슬비 내리는 봄밤
개구리 떼 자글거린다

꽤엑! 깨굴깨굴
반갑다

가골가골, 소리도 참!
매엥꽁 매엥꽁
늘어 터진 맹꽁이도 한 입

홀딱 벗고!
늦은 밤 검은등뻐꾸기 소리

까꿍!
동네 어귀 외등은 외롭지 않다

이번엔 딱 걸렸다

딱새가 길에 내려앉더니
바쁘게 뛰어간다

놀랜 방아깨비
펄쩍펄쩍

잽싸게 날아가 물지만
몸부림에 놓친 딱새

연거푸 놓쳤다가
낚아채다 놓치는 모습
유심히 바라보던 뻐꾸기

재빠르게 날아와 낚아채 물고
전선으로 날아간다
뻐꾹뻐꾹

진땀 흘리고는 뻘쭘한 딱새

너보다 더한 놈 있고만
웃고 있는데

쯧쯧쯧
태평스럽게 노래하는 베짱이

이번엔 딱 걸렸다

제4부

낮달

담장 아래 고양이 슬금슬금 지나가자
개가 얼른 일어나 꼬나보며 옴팡지게 짖는다

철렁!
할멈 구슬을 물에 빠트렸다고
지금도 짖는다

서슬에 꼬리 잔뜩 세운 고양이
네가 말을 시킨 바람에 빠트린 거 아니냐고

털을 서슬 퍼렇게 돋치고
눈 부라리며 잔뜩 구부린
등짝이 하얗다

피서

논에 가서 물을 튼다
시원하게 쏟아지는 물

벼 포기 속으로 촐랑대며
된더위가 이만저만하다고
포기 하나하나 서늘하게 어루만지는 투명한 손

갈증을 푼 물이 논을 가득 채우고는
옆 논 벼 포기를 만진다

때가 되면 다른 일로 넘어가듯
싸목싸목 흘러가는 물살

개구리 떼 입방정도 출렁거린다
아이구야, 너희도 겁나게 더운갑다!

수작을 걸다

동네 앞 농장에 사는 명자에게 딱 걸려
한 장 찍어 준다는 게 좀 오래 머물렀다

다리 건너 평산 배수장에 와서
만개한 벚꽃 몇 장 찍어 주고
그냥 돌아서려는데 웅성거린다

우린 왜 무시하는 거예요
노란 민들레를 보고
웃음 한 번 짓는다

근데 왜 안 웃어요?

잘 봐 웃잖아
마스크가 웃는다고 생각하면
진짜 웃는 거야

탱자와 호박

호박꽃 이파리
가시울타리에 넘실대더니
풋호박을 맺어 놓았다

꺼내 주기도 따 먹기도 힘든
그 속

가시 박힌 상처를
한 몸으로 받아들이더니

단단해진 덩이를
공손히 모신다

어느 자리든 맘 편하면 내 자리라고
모시던 맷돌 호박

암시랑토 않혀
어여 와서 앉아 봐

텅 빈 자리에
가을볕을 자꾸 꼬드긴다

꽈리

밭둑에 무성한 풀을 베는데

아야, 거그 때알* 있는디 베부렀냐

정신없이 베어 가던 손 멈추고 보니
동그랗게 눈을 뜨고 어머니가 나를 바라본다

느그 외갓집 돌담 아래
징글징글 열리고 그랬어야

씨를 뺀 불그스레 텅 빈 속에
입김을 불어 넣고 깨물면
까르륵까르륵 소리가 났다

보조개 부풀도록 빨던
귀에 익은 누이들 요란한 연주

풀 속에서 위태위태 견뎌 오던

천진난만한 눈동자를
까딱했으면 베어 낼 뻔했다

* 꽈리의 사투리.

즐거운 음표들

바람이 메마른 억새를 건든다
간질간질
꼿꼿이 말라 가는 생을 간지럽힌다

노래라도 불러야 기분 좋지
듣고 싶은 노래 있으면 말해 봐

버드나무는 추운데 뭐하러 나왔냐고 묻는다
춥다고 궁둥이를 바닥에 앉혀 놓으면 되냐 싶게
엉덩이가 벌써 들썩들썩

뱁새 몇 마리 찌이익 찌이익
물살은 갖가지 음원을 무료로 제공한다

물살 따라 흘러가는
악보 없는 음표 길

햇빛 도리깨

널어 둔 콩대 콩깍지가
툭툭 터진다

누가 도리깨질하는 것인지
살펴보지만 따가운 볕만 내리는 공터

꼬투리가 따끔하게 맞을 때마다
저절로 터진다

노란 콩, 콩 콩 콩 뛰어나와
떼굴떼굴 혼자서도 잘 뒹구는 자리

멧비둘기 내려앉아
눈치코치 먹다가 날아간
산 귀퉁이

노을에 물들어도
부지런한 노작이 타닥타닥 익는다

토란대

토란 껍질을 벗길 때마다
쾌한 냄새가 풍겨 온다

매운 내도 아니고 쌉쓰름하지도 않고
그렇다고 단것도 아닌

알토란 뿌리에서 올라온 흙의 숨결일까
장맛비 받아 내다 뒤척여 흘린 빗방울 투정일까

진진초록 토란대 우산을 쓴 흙길에서
솔솔 피어오르는 흙내

종일 김을 매고 땀으로 목욕하던 얼굴을
목수건으로 씻으면
풀풀 풍겨오던 비릿한 냄새

엷은 껍질이 함지박에 그득하고
위생 장갑에 진액이 하얗다

어머니는 평생 그렇게 사셨다

낫과 호미

여치 소리 낭창낭창 흘러드는 텃밭
아직 따가운 햇볕이 등짝을 꽂는다

울창한 비름과 바랭이 메풀
쩌렁쩌렁한 기세를 낫으로 베는데

엷은 옷을 뚫고 들어오는 따가운 햇볕은
싹둑 잘라 버릴 수 없다

풀은 풀대로 고집만 세우고
여름 지나도 매운 햇살은 좀체 수그러들지 않는다

밀짚모자 쓴 머리는 지근거리고
뭣 때문에 고생인가 싶은 해 질 무렵

몸 다 덮는 쓰개 모자 쓰고
묵묵히 호미질 하는 어머니

낫으로 베면 또 자란다고
햇살보다 날카로운 호미로 뿌리째 파낸다

압핀

그때그때 풀을 잘 매 두어야 하는데
게으름이 일을 벌여 놓았다

바늘 찌를 틈 없이 들어찬
미나리꽝이나 명아주 비름

한 눈도 아니고 두 눈 다 팔고 다닌
나의 딴눈을

딱 그 자리
도망가지 못하게
꾹 눌러놓는다

106

무논

둑 단단히 다지고 샘물을 틀어 놓았다
아침에 나가 보니 그렁그렁한 물낯

논둑을 도는데 첨벙 뛰어드는 개구리
저 화상은 꼭 이럴 때 온다고 성난 것일까

그래도 울음이 진득하게 들어찼을
그 속
아무도 모른다

물 넣은 소문을 어찌 알았는지
물방개 소금쟁이가 뛰놀고
쇠백로가 날아온다

하늘이 담긴 물에
바람이 잔물결 일으키는데
조곤조곤 누군가의 말씀 같다

개구리농법

풀약 좀 하랬더니 징하게 말 안 듣네
긍께 맨날 풀이 저 좋다고 그러제

친환경도 좀 정도껏 하지
밭에 풀이 무성하면 어쩌라고

날마다 낫으로 베고 하는 것도 지쳤다니까
베고 나면 또 비가 와서 허구한 날 베는 게 풀인데
고놈 깔따구에 내 여린 살이 고생해야 쓰겠어!

엠마, 말이 참 싹수없네
그러니까 내버려 두라고 했잖아

개구리 두 마리
낭창낭창 흐르는 개골창에서
한참 시끄럽다

속 들기

김장으로 심은 배추
푸른 잎만 무성하고
속이 부실하다

허우대만 멀쩡했지
배추가 이러면 어쩐다냐

김장해야 하는데
큰일이다

소가지 없는 것이
겉멋 들 듯 파래서
지 세상인 줄 안다니까

찬바람 쐬며 속이나 차라고
매듭 줄로 꼭꼭 묶어 주는 손

드들강

강에 머물러 바라보는 날이 많다

딴 때 같으면 고추 마무리로 고양이 손도 아쉬울 판
하우스가 물에 잠겨 일이 사라지고
나락을 베고 난 뒤 완전 백수

늘 그렇게 흐르고 흐를 뿐
무슨 이야기를 들려주지 못해 싱거운
너나 보자고 매번 오지만

그래도 시들어 버린 풀에 눈 마주치고
마른 억새 숲에 지은 벌레집도 눈 맞춘다

그런 날이 길어지지만
엎치락뒤치락 뭉텅뭉텅 흘러가는 물살 소리가
봄물로 물든다고 속삭여 주려는지

아까부터 쇠백로가

목을 길게 추켜세우고
슬금슬금 쳐다본다

남평장

입구부터 귤 사과 단감 홍시 배
쪽파 대파 무 배추 미나리
명태 전어 홍어 갈치 철갑상어 오징어
낙지 꼴뚜기 석화 굴 꼬막 바지락 감태 파래 그리고 매
생이까지
물큰한 갯내가 들척지근하다
없는 것 빼고 다 있는 장 모퉁이
펑!
와르르 쏟아지는 따끈따끈한 튀밥 주위로
모인 어르신들
물난리에도 물귀신 피해 열어 온 장
그래도 이날은
소년 소녀가 되어 와자지껄
흙바람 절인 나도 오랜만에 흥겹다
뭐니 뭐니 해도 장맛은
시끄러워야 제맛이라고
오늘은 드들강도 불콰하다

기생초

자전거 길이 억새에 막혀
더는 가지 못하고 돌아서는데

겹겹 두른 푸른 성벽 아래 꽃들
품어진 향기로 가슴을 흔든다

진한 향기에 취해 있다 보면
불볕쯤은 아무것도 아니다 해서
살랑거리는 꽃바람에 취한 건데

대뜸 촌구석에서 평생 썩을 팔자가 아니라고 으스대는
꽃잎이 붉다

요즘 세상 요염한 자태가
매우 흔하다고 눈총을 주지만

그래도 붉은 순정은 알아주란 듯
강물도 살살살 살포시 한 소리로 흐른다

몰래 한 사랑

종일 깻대를 베고 포대에 싸서 안고 나오는데
혹시나 터진 깨가 흘러내리지 않을까
가슴에 꼭 껴안고 나오는데

누가 보면 벌써 몇 번째 고무신을 거꾸로 신냐고
타박할 만도 한데

입때껏 오입 한 번 한 적 없는 나는
그래도 너무 다그치지 말아라
그러듯 그러하거니 해라

보듬고 가는 동안
혹여 투정 부리며 흘러내릴까

괜히 꼬락서니 내고 가 버릴까
으스러지게 껴안고 나오는

보랏빛 달개비꽃 배시시 웃는

함빡 이슬 머금을 무렵이다

강물이 노을에 불그족족하게 흠뻑 취한다

몫

말린 콩대를 두들긴다

콩깍지 터지고
노란 콩이 통통

처음 본 허공으로 튀어 오르다가
자리에 뒹군다

멀리 튀어 나간 콩은
풀밭까지

처음으로 가 본 풀 속

멧비둘기 꿩이 기다리는
한겨울

울음보

논둑 풀을 매다가 본 봇도랑 물
개구리밥이 둥둥 떠간다

어디 논에서 물꼬를 텄을까
자글자글 울어 싼다

낭창낭창 흘러온 푸른 밥이 떼거리다

쌓인 풀더미에 청개구리 한 마리
지도 따라 구성지다

풀여치 시인의 풀잎 노래

이대흠 시인·문학박사

시가 언어 예술의 극점에 설 수 있는 이유는, 시어가 단지 일상의 의사소통 수단에만 머물지 않기 때문이다. 주지하다시피 인간의 언어는 수많은 언어로 분화되어 있고, 그로 말미암아 언어 공동체를 벗어나면, 소통이 불가능한 언어가 되어 버린다. 거기다가 인간이 사용하는 어떤 언어도 전달하고자 하는 바를 온전히 전달할 수가 없다는 한계를 지닌다. 그러나 시는 인간의 정서나 느낌 같은 것을 보다 완전하게 전달하고자 하기 때문에 기존 언어의 이러한 한계 내지는 제한성을 벗어 버리고, 모든 인간이 소통 가능한 언어에까지 관심을 갖게 된다.

118

즉 분화되기 이전의 언어인 어떤 몸짓이나 비명, 감탄 등의 소리 같은 게 그것인데, 그것은 자연 속 사물들이 내는 소리에 보다 가까울 뿐만 아니라, 다른 언어 공동체들 간에도 소통이 가능한 언어이다.

1. 풀여치 시인의 마른 촉수

김황흠의 이번 시집에서 두드러진 점은 이전 시집들에 비해 문학적 표현을 의도적이든 의도적이 아니든 멀리했다는 점이다. 다루어진 시어에 대한 수식이 거의 사라지고, 마른 풀과도 같은 이미지가 주를 이룬다. 자칫 언어 자체가 사라져 침묵으로 돌아가고 있는 듯한 느낌도 든다.

> 그래도 시들어 버린 풀에 눈 마주치고
> 마른 억새 숲에 지은 벌레집도 눈 맞춘다
>
> —「드들강」부분

> 마른 풀을 잠깐 스쳤을 뿐인데
> 바지춤에 다닥다닥 붙는다
>
> —「동냥치풀」부분

마른 잔가지인 양

호미질로 단련된 손

삭정이 넣어 살리는 화톳불

—「화톳불」 부분

비쩍 마른 앙상한 모양새

울 힘이라도 있을까 싶었는데

—「묘화(猫畵)」 부분

인용된 시들은 '마른'이라는 관형어가 직접적으로 드러
난 경우이다. 설령 '마른'이라는 단어를 꾸밈말로 사용하
지 않았다고 하여도, 전체적인 시집의 주조를 이루는 것
은 '마른 이미지'이다. 그래서 그런지는 몰라도 시편들이
전체적으로 말라 있다. 이는 김황흠의 이번 시집이 시 정
신의 극점을 향해 가는 노정에 놓여 있기 때문이어서 그
러한 것이겠지만, 시인의 현재 상황과도 무관해 보이지
않는다.

김황흠 시인은 깡말랐다. 더구나 최근의 그는 눈에 띄
게 수척해졌고, 깡말라 보인다. 그렇게 비쩍 마른 몸으로
시와 씨름하고 있을 그의 모습을 상상하다 보면, 풀여치

의 바짝 마른 이마가 떠오른다. 잔주름이 짜글짜글 박힌 그의 이마는 영락없이 여치의 그것이다. 그렇다. 김황흠 시인은 풀여치를 닮았다. 풀여치는 풀잎에서 물기가 점점 빠져나가는 처서 무렵부터 활동한다. 여리고 투명한 날개로 마른 풀잎 같은 노래를 쉴 새 없이 부른다. 이렇게 힘 없고 외롭고 쓸쓸한 풀여치의 무대는 중앙도 아니고, 높은 데도 아니다. 풀여치는 어느 스산해 가는 계절의 모퉁이에서 제 깜냥껏 최선의 노래를 부른다. 그런 풀여치 같은 시인이 김황흠 시인이다.

벽과 책장 사이에서 열심히 소리를 짓는 것 같은데 형광등을 켜자 뚝 그친다 스위치를 내리고 다시 잠을 부르자 먼저 달려오는 소리 내 귀에다 붓는 애절한 노래 엷은 날개로 간절하게 책장 귀퉁이를 매만지는 가을밤

무심에 파르라니 떠는 페이지를
어디에 숨어서 읽고 있나
　　　　　　　－「책장 사이에 귀뚜라미가 산다」 전문

시에 나오는 건 귀뚜라미이지만, 귀뚜라미나 풀여치나 가을의 백성인 것은 매한가지이다. 귀뚜라미 시인은 귀

뚜라미의 얼굴을 하고 있을 것이고, 풀여치 시인은 풀여치 이마를 가졌고, 풀여치 입을 가졌고, 풀여치 귀를 가졌다. 풀여치가 시를 쓰면, 귀뚜라미가 시를 읽는다. 풀여치도 귀뚜라미도 가을에서는 으뜸가는 시인이다. 풀여치가 울면 귀뚜라미도 따라 운다. 그들은 종자가 다르기는 하지만, 가을 최고의 가수들이라는 공통점이 있다.

풀여치는 풀여치의 노래를 부른다. 이러한 풀여치의 시는 인간의 언어로 기호화 되는 게 쉽지 않다. 인간의 언어는 일정한 언어 공동체를 중심으로 갈라져 있어, 서로 간에 소통을 하더라도 번역의 과정을 거쳐야 한다. 이런 인간의 언어는, 풀여치 나라의 언어와는 완전 딴판이다. 풀여치의 언어와 인간의 언어 중 어떤 것이 시의 궁극에 가깝냐고 묻는다면, 풀여치의 언어가 시의 본령이라고 말해야 할 것이다. 그것은 처음의 언어이고, 그것으로 충분한 언어이다. 풀여치의 언어, 귀뚜라미의 언어, 새의 언어, 풀의 언어 등은 신의 언어와 같은 계열에 놓을 수 있다. 그러나 풀여치의 언어는 인간의 언어로는 표기할 수 없는 완전한 언어이며 자연의 언어이다. 이러한 풀여치의 언어, 신의 언어에 가장 근접한 인간의 언어가 시어임은 다들 알고 있을 것이다. 그런데 시어마저도 인간의 언어라서 신의 영역에 닿지 못하고 무릎을 꿇는다.

부연하자면 시어는 불완전으로 완전을 지향한다. 기본
적으로 시어는 소통의 언어이지만, 인간의 언어가 이미
완전한 소통을 불가능하게 하는 불구의 언어이다. 때문에
시어는 언제나 그 불구의 상태를 넘어서고자 하고, 정해
진 규칙이나 어법을 넘어서라도 더욱 정밀한 의미 전달을
위해 새로운 문법을 창안하기도 하고, 없는 신조어를 창
출하기도 한다. 그렇게라도 애타게 신의 언어로 향한다.
그럼에도 그렇게 완전한 소통을 꿈꾸는 시인의 꿈은 항상
좌절되어 왔으며, 영원히 불가능한 희망에 불과할지도 모
른다. 그럼에도 시인은, 다시 미수에 그칠지라도, 기존의
언어 질서를 완전히 뒤집는 언어 혁명을 통해서라도, 아
직까지는 오지 않았던 완전한 언어 세계로 나아가는 발길
을 내딛는다. 이런 무모한 싸움의 끝은 다시 실패를 불러
올 것이지만, 시인이 온전한 시인으로 남는 순간은 바로
이 미수에 그칠 혁명을 새로 시도하는 그 때이다.
　이러한 시인의 시도는 크게 양 갈래의 양 극단 사이에
서 이루어지는데, 그 한쪽은 수없이 새로운 시도를 해 대
는 장광설로 나타나고, 그 반대쪽은 침묵으로 설정된다.
대개 시가 생기를 지니거나 읽는 재미를 지니게 되는 경
우는 장광설적 요소를 지니고 있을 때 그러하지만, 정작
시 정신을 따진다면 애초에 거리가 먼 것이 장광설이다.

시 예술의 특장 중 하나를 함축성에 있다고 보았을 때, 말이 많다는 것은 벌써 산문에 가까워진 것이고, 풀어진 말에서 함축의 미를 발견한다는 것은 지난한 일이다.

결국 시 정신의 완전한 구현은 침묵이고, 시는 결국 침묵을 통해서만 가장 완벽한 모습이 구현된다고 볼 수 있기에 시의 성공은 언제나 완벽한 실패가 된다. 그러나 침묵으로 전해진 시를 온전하게 읽어 낼 수 있다면, 그것이야말로 불립문자를 통한 소통이요, 궁극적인 시의 수용이라 할 수 있을 것이다. 하지만 우리는 이 구체적 언어 체계 속에 사는데 익숙해져서인지, 침묵이라는 시의 극치를 즐기지 못하고, 침묵의 시 정신에서 다소 멀어지게 된다.

언어를 최소화하는 데 시가 있지만, 침묵으로 소통이 가능하지 않다는 게 문제이다. 시 정신을 온전히 지키기 위해서는 침묵해야 하지만 침묵으로는 의사소통이 되지 않아서 우리는 입을 열게 된다. 그중 침묵에 가장 가까운 것은 비명일 것이다. 따라서 인간이 낼 수 있는 음성 중에서, 음성상징어로 지칭되는 '아'나 '어', '옴'이나 '움' 같은 감탄이나 비명, 혹은 탄식이 그중 자연의 소리인, 바람 소리나 물소리에 가장 가까울 것이고, 그것만이 신의 음성과 가장 근접한 인간의 말일 것이다.

언어는 경험이고, 우리는 교육을 통해 익힌 언어로 소

통한다. 이런 점에서 언어의 인위성은 근본 언어인 시의 언어와는 거리가 멀다. 그런데 시 예술은 말을 극도로 아끼는 데 그 본령이 있다. 따라서 배운 언어를 몇 마디 내뱉는 순간에조차 우리는 언어를 낭비하는 것이기에, 침묵이 깨어지는 순간에 시는 시로부터 멀어진다. 말하지 않으면, 시가 없고, 말하면 시의 본령에서 멀어진다. 즉 침묵은 발설되지 않은 언어이고, 그 가능태로서만 존재 가치가 있을 뿐이어서, 언어를 통해 표현된 것만을 언어 예술의 테두리에 담을 수 있기 때문에, 처음부터 침묵은 시가 아니다.

침묵과 장광설은 시의 양 극단이지만, 침묵과 장광설의 모순 관계가 시 예술이 지닌 한계이자, 딜레마라고 볼 수 있을 것이다. 처음부터 시는 실패를 내정하고 있다. 따지고 보면 모든 시는, 어떤 모양으로 시답게 실패할 것인가에 대한 질문의 답에 불과하다.

2. 침묵에서 막 빠져나온

언어는 침묵을 벗어나는 순간부터 오염된다. 우리가 아는 어떤 말도 때 묻지 않은 말이 없으며, 문학의 존립 근

거인 문학적 수사, 문학적 비유마저도 언어를 꾸민 것이기 때문에 순수한 언어가 아니다. 따라서 시인이 이러한 언어의 염결성을 우선시하다 보면, 모든 문학적 수단을 도외시하고, 최소 언어로만 표현하게 된다. 김황흠의 이번 시집은 이런 시 정신을 앞세운 작품들이 주를 이룬다.

1.
다동댁 빈집
오랜만에 백열등이 환하다

무슨 일인가 싶어 들여다보는데
그동안 병원에 있던 아짐이
마루에 우두커니 앉아 있다

검버섯 잔뜩 핀 얼굴
지친 눈빛으로 마당 한쪽 화단을 본다

2.
수국과 장미는 예전처럼
밤새 내린 비에 수긋하다

꺼지지 않은 불빛

낮에도 켜져 있다

다동댁이 끄지 않고 간

마지막 인사

댓돌에 놓인 흰 고무신을 마냥 비춘다

– 「환하다」 전문

　최소한의 문학적 수사마저 거부한 이 작품엔 군더더기가 없다. 다동댁 빈집이 배경이다. 다동댁은 병원에 입원해 있다가 왔다. 화자는 두 번에 거쳐 이 집을 본다. 한 번은 병원에 갔던 다동댁이 돌아와 마루에 앉아 있을 때이고, 다른 하나는 다동댁이 죽고 사라졌을 때이다. 같은 공간이지만, 사람 하나가 있고 없음에 따라 공간은 전혀 다른 의미로 해석이 된다.

　시간의 차이를 둔 두 공간은 다 환하다. 그러나 이 '밝음'이 주는 의미가 아주 다르다. 같은 단어일지라도, 같은 시적 대상이더라도 문맥이 주는 상황에 따라 다르게 해석이 가능한 것이 시어이고, 그러한 다의적 가능성이 시 예술의 특장이다. 다동댁이 병원에서 돌아온 집도 환하고, 다동댁이 죽은 빈집도 환하다. 처음의 밝음은 따스한 생의 한 단면이고, 다른 하나는 죽음이 명백하게 드러나 밝은 슬픔의 공간이다. 슬픔마저 다 빤히 보이는 공간에서의 슬픔은, 슬픈 자신을 감출 수가 없다. 어떤 비유도 동원되지 않았지만, 하나의 공간이 시간을 달리하여 다른 장소성을 지닌다. 즉 두 개의 장소는 데칼코마니처럼 똑같아 보이지만, 하나는 이승을 말하는 공간이고, 다른 하나는 저승을 품고 있다. 하나는 살아 있어 따뜻하고 반가운 공간이지만, 다른 하나는 죽었기에 비통하고, 비어 있고, 뭉클한 눈물이 환한 공간이다. 이렇게 문학적 장치를 동원하지 않고서 공감을 불러일으키는 이미지를 창조해 낸다는 것은 쉬운 일이 아니다.

더구나 이 작품에는 이미지의 연결고리가 적절하게 구사되었다. 그중 가장 중요한 역할을 한 것은 백열등 불빛이다. 시의 1과 2는 이승과 저승의 거리만큼 상반된 것이지만, 그 두 공간은 불빛으로 연결된다.

어두웠던 집에 백열등이 켜졌다.
(사람 없는 빈집이었던 어두운 공간에 켜진 불빛은 살아 있음의 신호이다.)

병원에 갔던 다동댁이 돌아왔다.
(온기의 회복이다.)

다동댁이 죽었다.

여전히 불은 켜져 있다.
(이 불빛은 죽음을 더욱 두드러지게 하는 역할을 한다.)
낮에도 켜져 있다.
(사람이 살아 있는 공간에서는 낮에는 불이 꺼져야 맞
다. 그러나 낮에 켜진 이 불빛은 죽음을 감출 수 없는 것
으로 만든다.)
다동댁이 끄지 않고 간/마지막 인사
(물론 이 '마지막 인사'가 은유하는 건 백열등 불빛이
다. 이 불빛은 다동댁의 마음을 대변한다. 따라서 다동
댁의 안부를 묻는 이들에게 고맙다는 말을 하고 있는 것
으로 읽힌다.)
댓돌에 놓인 고무신을 마냥 비춘다.
(살아 있는 다동댁을 비추지 못하는 불빛이 닿을 수
있는 곳은 그가 살았던 흔적이다.)

이렇게 분석을 하면, 불빛의 의미가 명료해진다. 백열

등 불빛은 단순한 시적 대상이 아니라, 화자의 심리를 대변하는 객관적 상관물이다. 다시 말하면 다동댁에 대한 화자의 염려와 관심이 백열등으로 사물화 되었다.

이 작품에서 한 가지 더 주의 깊게 읽어야 할 대목은 3연의 마지막 줄인 "지친 눈빛으로 마당 한쪽 화단을 본다"라는 대목이다. 병원에서 집으로 돌아왔지만, 다동댁은 회복된 것이 아니다. 여전히 "지친 눈빛"이다. 그러나 죽어 가는 다동댁의 이 지친 눈빛은 평이한 눈빛이 아니다. 자신은 사라지면서 자기 외의 모든 것을 이전의 상태로 회복해 놓는 마술적 눈빛이다. 다동댁의 지친 눈빛이 닿는 화단의 풍경은 어떠한가. "수국과 장미는 예전처럼/밤새 내린 비에 수굿하다" 마치 다동댁의 눈빛이 다동댁과 화단의 식물들을 이어 놓고, 그 눈빛의 관을 따라 둘은 교감한다. 수국과 장미의 수굿함은 살아생전의 다동댁 모습을 담고 있는 것이리라. 이렇게 인간과 대상 간의 교감이 긴밀한 게 김황흠 시의 주된 특징이다.

3. 타자-되기의 좌절과 세계와의 불화

김황흠의 시에서는 사람과 자연 속 대상이 따로 놀지

않는다. 수시로 사람과 대화를 하는 풀과 나무와 새들이 나온다. 개구리나 쐐기벌레는 물론이고, 무생물인 길바닥 마저도 아무런 걸림 없이 사람인 화자와 소통한다. 사람 인 화자가 동물과 식물의 말을 알아들을 뿐만 아니라, 수 시로 그들과 대화를 한다.

노래라도 불러야 기분 좋지
듣고 싶은 노래 있으면 말해 봐

버드나무는 추운데 뭐하러 나왔냐고 묻는다

— 「즐거운 음표들」 부분

사슴 같은 맑은 눈을 지닌 사람
밤하늘 모퉁이에 제 자리를 만들었냐고
뜬금없이,
꾀복쟁이 친구들 잘 있냐고
묻는 것만 같다

— 「핑계를 댔다」 부분

개구리 꽥, 소리 지르고
풍덩 물속으로 뛴다

에구. 미안!

서슬에 놀란 쇠백로
날아가며 허공에 뿌린 소리

–「강물 위에 쓴 시」 부분

그러나 시적 화자가 자연물이라고 해야 할 이런 대상들과 대화를 한다고 해서 인간의 말을 주고받는 건 아니다. 이런 자연적 대상과의 소통은 한계를 지니게 마련이고, 그것이 발화의 형태로 나타났다고 하더라도, 음성을 통한 소통이라고 단정할 수는 없다. 오히려 그 말들은 화자의 내면에서 독백의 형태로 머물러 있다고 보는 게 보다 타당하다. 따라서 풀여치와도 같은 시적 화자는 여전히 풀여치가 아니라서, 자연 그 자체가 되지는 못한다. 이 점이 세계와의 불화 요인이다.

외로움 때문이다
농로 귀퉁이 억새 풀더미가 에워싼 경운기
있는지도 모른다

한때 귀한 몸이 트럭에 밀리고부터
고물로 변한 자존심은 이미 녹슬었다

환삼덩굴이 옭아매고
메꽃이 옭아매도
이젠 괜찮아, 괜찮아

풀 속에 누워 듣는 장송곡
노랗게 풍화한 가을

어느 순간 너에게 잊힌 얼굴
까마득한 망각에 내가 산다

– 「유령으로 살기」 전문

　시적 대상인 경운기는 아예 버려져 있는 상태이다. 그
런 경운기는 이미 고물로 변해서 '자존심'은 녹슬었다. 그
렇게 녹슬고 있는 경운기를 환삼덩굴과 메꽃이 옭아맨다.
그저 풀 속에 누워 장송곡을 듣는다. 그런데 화자는 시적
대상인 경운기를 바라보고 있다가, 이내 경운기가 되어서
말을 한다. 즉 환삼덩굴이 옭아매고, 메꽃이 옭아매도,
'이제 괜찮아. 괜찮아' 말하는 건, 경운기였다가 이내 화

자 자신이 된다. 즉 경운기는 화자의 감정이입의 대상이었다가, 화자 자신으로 몸을 바꾼다. 즉 시적 화자는 경운기를 바라보는 자였다가, 경운기가 되어 버린다.

이러한 타자—되기는 마지막 연에 나오는 "어느 순간 너에게 잊힌 얼굴/까마득한 망각에 내가 산다"라는 구절을 보면 알 수 있다. 이 문장은 '경운기'가 되어 버린 화자의 말일 뿐만 아니라, 시적 화자인 '나'와 대상인 '너'의 자리바꿈도 보이고 있어서 흥미롭다.

문법적으로 말하면 비문인 이 문장에서 '잊힌'이라는 말에 주목할 필요가 있다. 나에게 잊힌 대상이 너일 수는 있지만, 너에게 잊힌 대상이 나라는 문장은 성립이 불가능하다. 왜냐하면 너에게 내가 잊혔는지, 잊히지 않았는지를 화자인 '내'가 알 수가 없기 때문이다. 그런데 내가 너로 입장이 바뀌어 버리면, '너인 내'가 이곳에 있는 나를 바라보는 설정이 가능해진다. 이러한 자리바꿈은 아득한 '망각'의 세계에 내가 있기에 가능하다. 망각의 세계에서는 나마저도 아득할 수 있는 것 아닌가. 이렇게 '너에게 잊힌 나'는, '내'가 '너'로 타자화 되어서도 잊은 나이다. 이런 나는 현실 세계에서 발붙일 데가 없다. 이러한 관계 맺기의 실패는 고립을 불러온다. 그리고 이와 같은 관계 맺기의 실패와 고립에 원인이 없는 것은 아니다.

길바닥과 발바닥이
서로 사정없이 치고
미련 없이 뗀다

연거푸 치고 떼며
더 끈덕지게 달라붙는다

치고받는 바닥
끝까지 마주치는 일은 죽어서야 끝나는 일

– 「바닥을 마주친다는 것」 부분

　길바닥과 발바닥은 걷는 순간마다 만나지만, 하나가 되
지는 못한다. 그 둘은 매우 밀착된 접촉을 하곤 하지만,
서로의 관계가 상보적이지 못한다. 따로 논다. 아니 서로
를 인정하지 못하고 부딪힌다. 결론 삼아 말하면, 시에 나
타난 그 둘의 관계는 상당히 폭력적이고, 서로에게 냉정
하다. '서로 사정없이 치'는 그 둘은, 만나는 순간에는 서
로를 치며, 떨어질 때는 미련이 없다. 끈덕지게 달라붙지
만, 미련 없이 떨어지는 관계는 매우 피상적이다. 그 둘은
서로 타자를 받아들이지 않으며 함께일 때도 하나가 되지

못한다.

　관계가 이렇게 겉돌게 된 것은 서로에게 긍정적 영향을 줄 기회가 박탈되었거나, 어느 한쪽이 다른 쪽과 관계 맺는 걸 거부했을 때 일어난다. 즉 관계를 맺어야 할 대상들 간의 치고 받는 행위는 애정의 변형된 형태의 것이 아니다. 이는 관계 맺기의 실패라 볼 수 있다. 관계 맺기의 실패 원인은 타자에게 있는 것이 아니라, 관계의 주체인 자아에게 있다. 이러한 관계 맺기의 실패를 그린 작품이 김황흠의 이번 시집에는 상당수를 차지하고 있다. 그 대상이 사람이 되었건, 동물이나 식물이 되었건, 시적 화자와 관계를 맺고 있는 대상들은 대부분 죽었거나, 죽어 가고 있으며, 그도 아니면 일시적으로 우연히 만난 대상들이다.

　즉 지속적으로 관계를 맺어 오고, 그 관계를 유지하고 있는 대상들을 찾아보기가 어렵다. 강에서 만난 새나 들에서 만난 개구리 등은 추억을 공유할 수 있는 대상이 아니고, 서로의 삶에 관여할 수 있는 대상들이 아니라, 그저 스쳐 지나가거나 이미 지나쳐 버린 인연들이다. 이는 시적 화자가 고립되어 있다는 것을 뜻한다. 어쩌다 이렇게 되었을까. 다음과 같은 시편은 그것에 대한 실마리를 품고 있다.

더는 버티지 못하고 뒤집히듯

별수 없이 되돌린 날개

돌아가도

상처 난 마음 부릴 데 없는 허공의 집이리라

—「되돌린 날개」 부분

    강풍에 맞선 솔개의 날개를 그린 작품이다. 수많은 사람들이 한 편이 되어 윽박지르는 상황에 맞섰던, 영산댁의 모습이 오버랩 된 이 작품은 바람에 맞서다 방향을 되돌린 솔개의 모습을 그리고 있다. 그런데 강풍에 맞서던 새에게 돌아갈 곳이 마땅하지 않다는 점이다. 보통의 관찰자라면 날개의 방향을 튼 새의 모습만 보였을 터이지만, 이 작품 속 화자는 새에게 '돌아갈 집'이 마땅하지 않음을 얘기하고 있다. '상처 난 마음 부릴 데 없는' 자의 좌절은 더 극심한 것일 수밖에 없다. 바람에 맞서 날아가려다가 좌절한 새, 날아갈 방향을 포기한 새에게는 돌아갈 곳이 허공밖에 없다. 즉 이 새는 비빌 언덕이 없다. 뜻이 꺾인 자에게 돌아갈 바닥이라도 있어야 하건만, 이 새는 생의 가장 처참한 상태를 은유하는 '바닥'마저 없다. 다시 말해서 좌절하여 주저앉을 바닥이 허공인 자에게는, 울고 자빠질 바닥마저 없다. 그렇다. 절망을 절망할 장소가 없다.

이런 관점에서 본다면, 김황흠의 시에 나타나는 자연물과의 빈번한 의사소통도 실은 시적 화자의 극심한 외로움의 산물이라고 볼 수 있다. 좌절하고서 좌절했다고 말할 상대가 없는 화자는 외로움의 극단에서 만나는 모든 사물과 대화를 시도한다. 그런데 따지고 보면 그러한 소통의 시도는 종국에는 '혼잣말'이라는 종착지에 닿는다. 따라서 김황흠의 시에 자주 나타나는, 자연물과의 의사소통도 인간들과의 관계를 우화적, 상징적으로 그린 것이라 볼 수 있다. 시적 대상인 개구리, 왜가리, 고양이 등은 모두 그와 유사한 사람을 은유한 것으로 읽힌다.

4. 이중적인 물의 이미지

김황흠의 시에 있어서 세계와의 불화는 시적 화자의 외로움으로 귀결된다. 그런 시적 화자에게 자신의 존재를 알리는 유일한 존재 증명 방식이 노래이다. 끼루끼루끼루 소리를 내는 풀여치의 노래는 실제로 들어 보아도 어떤 구조 신호처럼 보인다. 시인인 풀여치의 울음소리도 그와 같은 의미를 지닌다. 그에게 시는 구조 신호와도 같다. 그 것은 시인의 숙명과 유사하다. 시인은 누구와 함께 노래를 하지 않는다. 저마다의 풀섶에 숨어 구조 신호와도 같은 울음을 운다. 따라서 풀여치 혹은 풀여치 시인이 극단적인 외로움을 이길 수 있는 방법은 자신의 노래를 계속 불러야 한다는 것, 나아가 자신의 노래가 가치가 있다는 것을 확신하는 것뿐이다.

주어진 세계에서는 한없이 여리고 약한 게 풀여치이고, 다른 곤충이나 새들과는 전혀 다른 노래를 부르는 게 풀여치이지만, 가장 풀여치다운 노래를 부를 수 있는 것은 풀여치뿐이다. 이러한 풀여치의 생존에는 몇 가지 것이 필요하겠지만, 마른 풀의 노래만 부르는 풀여치에게는 목축임이 필요하다. 즉 풀여치의 풀잎 노래가 지속되려면 물이 있어야 한다. 풀여치에게 가장 필요한 것은 물이며, 그것도 이슬처럼 맑은 물이다.

①
논에 물을 넣다가
한 상 가득 차린 나무를 보면

더는 칠 수 없는 바닥

— 「이팝의 저물녘」 부분

②

늦둥이 딸년 업고 물꼬를 돌아보다가
아이가 울어 논둑에 퍼질러 앉는다

— 「엿보다」 부분

③

고추밭 고랑 물이 불어난다

이슬비도 오래 맞으면 젖는데
이런, 빠져나갈 물꼬가 없다

— 「위급」 부분

④

물둑 섬 가에 쇠백로 왜가리가 줄지어 섰다

(중략)

더 있으면

쇠백로의 물음표가 더 굽어질 것만 같아

대답을 하지 못하고 물가를 떠났다

– 「핑계를 댔다」 부분

⑤

두물머리에서 탁 트인 강물을 보고

숨 한 번 크게 내쉬지만

– 「너무 멀리 와 버렸다」 부분

⑥

귀에 댄 돌멩이를

강에 던지자

남아 있던 이야기 번지는 듯

물 나이테 퍼져 간다

– 「강물 위에 쓴 시」 부분

　인용된 시는 ①, ②, ③과 ④, ⑤, ⑥을 구분해서 읽을
필요가 있다. 위 작품에서는 모두 물의 이미지가 나오지
만, ①, ②, ③의 작품에서는 흐린 물이 나오고, ④, ⑤,
⑥의 작품에서는 맑은 물이 나온다는 점을 알 수 있다. 김
황흠의 시에서 '흐린 물'과 '맑은 물'이 표상하는 바는 전

혀 다르다. 대개 '흐린 물'은 현실의 답답함을 의미하고, 삶의 현장을 지칭한다. 반면 '맑은 물'은 시적 화자의 숨이 틔는 장소, 어떤 이상으로서 실재한다. 즉 이상의 세계가 막연한 환상이나 상상 속의 세계가 아니라, 현실 너머에 바로 보이는 곳에 있고, 생의 그림자처럼 삶의 현장과 인접해 있다. 다만 시적 화자는 그러한 이상 세계에 편입되지 못했기 때문에, 화자가 서 있는 바로 이곳인 '흐린 물'의 세계에서 봤을 때 '맑은 물'의 세계는 늘 먼 곳으로 치환된다.

그런데 '흐린 물'의 세계에 사는 시인은 '여기 이곳'에서 돌파구를 찾아내지 못한다는 점에 주목할 필요가 있다. 논물을 넣다가 "더는 칠 수 없는 바닥"을 상기하거나, 고추밭 물을 넣다, "이런, 빠져나갈 물꼬가 없다"고 소리를 지른다. 하다못해 물꼬를 보다가 아이에게 젖을 주는 여인마저도 "논둑에 퍼질러 앉는다"는 점에서 '흐린 물'의 세계는 고단한 곳이다.

화자의 이러한 심리가 투영된 것으로 보이는 작품인 「소나기 한 편」에서 "신나게 내리느라 여기저기 작은 물길을 만들고 나갈 길을 찾아가는데 수챗구멍이 막혀 방방하게 차오른다"라는 구절을 보라. 빠져나갈 길을 찾지 못해 방방하게 차오르고 있는 물에는 답답한 화자의 심리가 투

영되어 있다. 그렇게 현실은 답답한데, 화자는 답답한 현실을 타개할 어떤 대책도 없다. 기껏 화자가 선택한 것은 지독한 자기희생이다.

어두운 눈빛으로 바라보는 동안
굵은 빗방울이 쏟아지고
황토물이 뒤엉켜 흘러간다

그 누구도 울어 주지 않는 눈물
다 그러안고 그렁대는 붉덩물

— 「붉덩물의 사랑법」 부분

비가 내려, 흐르는 물이 바닥의 더러운 것들과 섞여 흘러간다. 당연히 하늘에서는 맑았던 물은 바닥에 닿는 순간부터 더러워진다. 이를 순결했던 시적 화자가 오염되었다는 의미로 읽을 수도 있다. 그렇게 흘러가는 물은 황톳물이 되고, 이내 '붉덩물'이 된다. 이 구절이 사뭇 아름답고 역설적인 것은 이 더러운 물을 해석하는 화자의 시선 때문이다. 온갖 먼지며 쓰레기 같은 것이 뒤엉켰을 이 붉덩물을 "그 누구도 울어 주지 않는 눈물"을 흘려주는 것이라 보는 시선을 어찌할 것인가.

그러나 시적 화자의 희생과 사랑이 '붉덩물의 사랑법'에
서처럼 긍정적 결과로 귀결되는 예는 많지 않다. 오히려
화자는 지독하게 무거운 현실 속에서 좌절하고, 꺾이고,
주저앉아 있다. 그런 화자에게 위안을 주는 것 또한 '흐린
물'이라 볼 수 있는 '막걸리'이다. 대개 시적 화자나 주변
대상들에게 위안의 역할을 하는 '막걸리'는 시적 화자에게
겨우 생존할 수 있는 요소가 되고, 삶의 활력이랄 수 있는
해학을 선사하지만, 종국에는 죽음을 예약한다.

아짐, 근디 막걸리는 없당가
오기 전부터 사 와라 혔드만 감감무소식이네

그제야 길 모롱이 자전거에 막걸리 담은
한 말짜리 탁배기 통을 싣고
비틀비틀 오고 있는 양 씨
술기가 확 번져 온다

— 「막걸리 양 씨의 못밥」 부분

이앙기가 못다 심은 모 사이를 때우고
피사리하고
나락을 베고 나면 짚가리 훑어 이삭 줍고

144

집터에 심은 검정콩 메주콩 타작만큼이나
술 좋아하더니

지난해부터 추석이면
달무리 두레방석에 앉아
두 내외 말술을 나누고 있다

– 「막걸리 통 한가위 달」 부분

  위의 시들에서 볼 수 있는 것은 '흐린 물(막걸리)'이 생
존의 바탕이고, 때로 위안이 되지만, 그것이 바람직한 삶
을 지향하지 않는다는 점이다. 따라서 '흐린 물' 속에 있
는 동안, 화자는 이상을 실현할 수 없다. 화자가 살아남을
수 있는 조건은 흐린 물이 아니라, 강물로 은유되는 맑은
물의 세계이다. 그런데 강물은 "먼 강 물살도 몸을 뒤챈
다"(「햇살 망치질」)에서처럼 멀리 있거나, "날마다 강변을
돌아다니는 내게"(「핑계를 댔다」 부분)라는 구절에서 보이
듯 화자인 내가 잠시 지나쳐 가는 곳에 불과하다. 시적 화
자가 건강성을 되찾는 장소가 '먼 강물'인 점을 생각해 본
다면, 풀여치로 은유되는 시적 화자는 흙탕물을 벗어나
맑은 강 쪽으로 터전을 옮겨야 한다. 이는 시적 화자의 삶
의 자세와 관련된다.

5. 맑은 눈의 해학

정리하여 말하자면, 김황흠의 시에 있어서 물의 이미지는 현실적인 삶과 이상적 세계를 상징한다. 이 둘은 상반된 의미를 지닌다. 그중 하나는 흙탕물과 탁주로 표현되는 물의 이미지이고, 다른 하나는 강물로 지칭되는 물의 이미지이다. 이 중 전자는 현실적 삶의 어려움과 위안, 화해 등을 뜻하고, 후자는 이상적 세계로서 자리한다. 가까이에 있는 물은 흐린 물이고, 먼 데 있는 물은 맑다.

그러나 화자는 먼 강물의 세계에 들어가지 못하고, 이곳의 흙탕물 속에서 화해하거나 불화한다. 다시 말하면 풀여치의 감성을 지닌 시적 화자는 흙탕물이나 막걸리처럼 흐린 물에서는 현실에 함몰되고, 강물이나 하늘의 비처럼 맑은 물과 함께했을 때는 생기를 띠게 된다. 이런 점에 비추어 보았을 때, 시적 화자가 현실적 절망에 빠졌을 때는 '흐린 물'의 이미지가 나타나고, 시적 화자가 안도의 숨을 내쉰다. 즉 "길을 가다가 만나도/나누던 묵례도 같이할 수 없는 날//두물머리에서 탁 트인 강물을 보고/숨한 번 크게 내쉬지만"('너무 멀리 와 버렸다.)에서 보이듯, 현실은 마스크로 얼굴을 가려야 하는 곳이고, 마스크를 쓰지 않으면 다른 이들의 눈총을 받아야 하는 곳이지만,

강은 그런 화자에게 숨통을 틔게 해 준다. 이렇게 숨통이 트인 화자가 바라보는 현실 세계는 보다 생동감을 띠게 되는데, 같은 현실을 보더라도 화자의 시선에 따라 세계는 전혀 다른 곳이 된다. 역시 풀여치 시인은 풀잎 노래를 불러야 하고, 그런 풀잎 노래 끝에 아래와 같은 현실 세계를 노래한다면, 가을이 보다 가을답지 않겠는가.

> 암탉은 보이지 않고
> 늠름한 놈이 머리를 탁 쳐들고
> 꼬꼬댁 꼬꼬 꼬꼬댁 꼬꼬
>
> 굵은 발톱이 얼마나 날카로운지
> 발목을 재빠르게 잡아 보지만
> 앙다물고 버틴다
>
> 이마를 쪼아 버릴 듯 벼슬을 흔들어 대서
> 가슴이 콩닥콩닥거린다
>
> 아이고 조심하시오
> 옆집 아짐 걱정에도 장인은
> 심약한 사위 기운 북돋아 주려면

이 정도는 되야제 한다

잡아채고 보니 벼슬에서
까만 씨가 툭툭 떨어진다

–「맨드라미 수탉」 전문

닭을 잡으려다가 맨드라미꽃을 잡았다. "잡아채고 보니
벼슬에서/까만 씨가 툭툭 떨어진다" 이 작품에서도 시적
화자는 시적 대상의 내면에 들어가 있다. 어느새 '장인'으
로 지칭되는 인물이 되어 함께 가슴이 콩닥거린다. 김황
흠의 시에서는 이러한 화자와 대상 간의 자리바꿈이 빈번
하게 일어난다. 이는 거리 조절의 실패와 달리 상당한 생
동감을 발휘한다.

김황흠의 시에서 해학이 돋보이는 작품이다. 여기에는
삶의 비의 따위를 볼 수가 없다. 현실의 흙탕물에서 허우
적거리는 자아의 모습도 없다. 답답함도 없다. 건강하다.
그것은 흐리기만 하였던 '붉덩물' 본연의 맑음을 찾아가는
과정으로 읽힌다. 시 정신이 아무리 침묵에 있다고 하여
도, 시인은 제 노래를 불러야 한다. 실패를 무릅쓰고 소리
내야 한다. "맨드라미 수탉을 잡고, 맨드라미 씨앗처럼
웃을 수도 있어야 한다. 이 작품은 해학성, 삶의 건강성이

돋보이는 작품이다. 이런 류의 작품이 강 가까이 사는 풀여치의 다음 노래가 될 수도 있을 것이다. 풀여치 이마의 주름이 웃음을 담는 것이라면, 거기에 기댄 사람들이, 생의 가을을 지나가는 쓸쓸함도 견딜 수 있지 않겠는가.

김황흠

전남 장흥에서 태어났다. 2008년 『작가』 신인상을 통해 등단했다. 시집으로 『숫눈』, 『건너가는 시간』이 있고 시화집으로 『드들강 편지』가 있다.

e-mail|ghkdgma@hanmail.net

책장 사이에 귀뚜라미가 산다

초판1쇄 찍은 날 | 2021년 11월 16일
초판1쇄 펴낸 날 | 2021년 11월 25일

지은이 | 김황흠
펴낸이 | 송광룡
펴낸곳 | 문학들
등록 | 2005년 8월 24일 제2005 1-2호
주소 | 61489 광주광역시 동구 천변우로 487(학동) 2층
전화 | 062-651-6968
팩스 | 062-651-9690
전자우편 | munhakdle@hanmail.net
블로그 | blog.naver.com/munhakdlesimmian

ⓒ 김황흠 2021
ISBN 979-11-91277-25-8 03810

• 이 책은 문화체육관광부, 한국장애인문화예술원의 후원을 받아
  2021년 장애인 문화예술 지원사업의 일환으로 발간되었습니다.

문화체육관광부   한국장애인문화예술원